Collection mini-délices

# *Cuisine Asiatique*

**Réalisation**
Fabien Bellahsen
Daniel Rouche

**Photographe**
Didier Bizos

**Maquette**
André Boulze



---

I S B N : 2-84690-111-2
Imprimé par Ferré Olsina Industria Gràfica,
Barcelone, Espagne.

## Autres titres dans la même collection

Couscous et tajines

Cuisine des grands chefs

Cuisine des îles de Méditerranée

Cuisine grecque

Cuisine italienne

Cuisine marocaine

Cuisine provençale

Cuisine rapide

Cuisine tunisienne

Cuisine turque

Cuisine végétarienne

Desserts

Desserts au chocolat

Entrées chaudes

Entrées froides

Pâtes et riz

Poissons et fruits de mer

Soupes

Tartes

Viandes et volailles

# Table des matières

Collection mini-délices

# *Cuisine Asiatique*

★ : Très facile ★ ★ : Facile ★ ★ ★ : Difficile

# MACARONS DE CREVETTES,

**4 personnes.** ★★ **Préparation : 45 min.**

**Macarons de crevettes :** 26 grosses crevettes. 12 g d'ail.
3 branches de coriandre fraîche. 40 g de sauce de poisson. 15 g de sucre.
20 g de tapioca. 100 g de chapelure. Huile de friture.
**Sauce ananas :** 1 ananas moyen. 4,5 cl de vinaigre blanc. 235 g de sucre en poudre.
10 g de sel. 15 g de piment rouge frais. 20 g d'oignon. 2 cl d'huile d'arachide.

*Cette préparation connaît de nombreuseuses variantes avec des petits morceaux d'omelettes, de bœuf cuit, de poulet, de porc, des grosses crevettes sautées, des rondelles de saucisse fumée ou encore des brocolis.*

*Pour la confection de la sauce, préférez un petit ananas Victoria, parfumé et bien sucré. Cette sauce délicieuse se conserve quinze jours au frais en pot hermétique. Elle surprendra encore vos convives, nappée sur un poisson vapeur ou un poulet grillé.*

Disposez le tapioca et la sauce de poisson dans des bols séparés. Versez la sauce de poisson sur le tapioca, en mélangeant au fur et à mesure avec une petite cuillère.

Mixez les queues de crevettes. Réservez dans un saladier. Mixez coriandre, ail et ajoutez-les dans les crevettes mixées. Sucrez. Additionnez de sauce de poisson au tapioca. Fouettez pour obtenir une pâte homogène.

Prélevez dans la main une petite quantité de farce et formez une boulette. Récupérez-la à la petite cuillère puis glissez-la dans la chapelure. Aplatissez pour former un macaron.

1

2

3

# SAUCE ANANAS

**Cuisson : 20 min.**

Retirez l'écorce de l'ananas et éliminez les "yeux" restants sur la pulpe. Coupez le fruit en quatre. Retirez la partie dure interne. Coupez-le en dés de 2 cm, ainsi que l'oignon épluché et le piment épépiné.

Placez les 3 ingrédients dans le bol du mixeur. Mixez ensemble jusqu'à obtention d'une sauce homogène et fluide. Faites chauffer l'huile dans une poêle puis ajoutez la sauce à l'ananas. Laissez dorer à feu vif, en remuant.

Arrosez la sauce de vinaigre blanc. Portez à ébullition. Dès la 1re ébullition, ajoutez sucre et sel. Laissez bouillir 15 min. Retirez du feu. Faites dorer les macarons de crevettes 3 min dans une friture brûlante. Servez-les aussitôt.

4

5

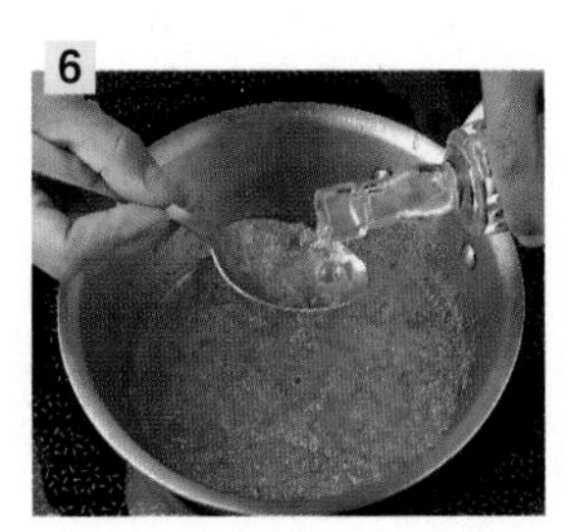

6

# NEMS

4 personnes. ★★★ Préparation : 30 min.

Coupez les légumes en quartiers. Versez-les dans le bol d'un robot ménager avec les pousses de soja crues, les vermicelles et les champignons noirs réhydratés 20 min. Mixez le tout jusqu'à obtention d'une pâte.

Hachez l'échine de porc dans un hachoir à viande. Versez ce hachis sur la préparation précédente. Assaisonnez de nuoc-mâm, de sucre, de glutamate, de sel et de poivre.

Portez de l'eau à ébullition dans une petite casserole. Additionnez de bière. Posez 2 triangles de galette de riz l'un sur l'autre. Trempez-les rapidement dans le liquide. Épongez-les soigneusement dans un torchon sec.

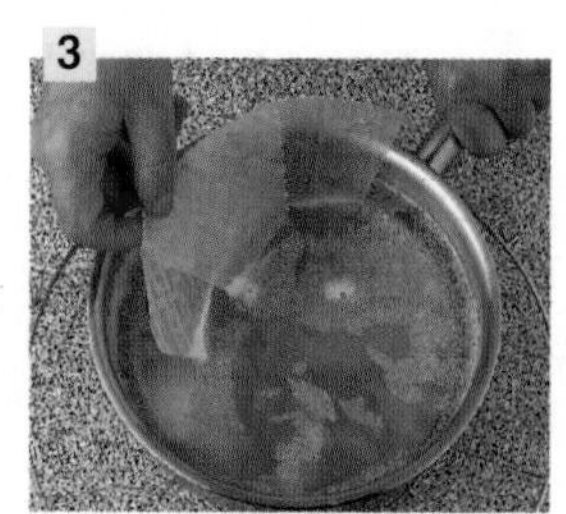

# AU PORC

**Cuisson : 3-4 min.** **Réhydratation champignons et vermicelles : 20 min.**

50 g de champignons noirs séchés. 2 oignons. 200 g de vermicelles vietnamiens. 200 g de carottes. 200 g de pousses de soja. 500 g d'échine de porc désossée. 1 filet de nuoc-mâm. 1/4 de cuillère à café de glutamate. 5 cl de bière. 1 paquet de galettes de riz en triangle. 1 pincée de sucre. Sel. Poivre. Huile de friture.
**Accompagnement :** 1 salade Batavia. 1 botte de menthe.

*Lorsque vous préparez vos nems, il est important de renforcer leur solidité en faisant chevaucher 2 triangles de galette.*

*On enveloppe toujours les nems à l'intérieur de galettes à base de farine de riz, de sel et d'eau. Elles sont cuites comme des crêpes puis séchées. Celles qui sont d'excellente qualité restent bien croustillantes. Vous renforcerez le croustillant en les humidifiant tout d'abord dans un mélange de bière et d'eau, avant de les garnir puis de les passer en friture.*

Étalez les 2 triangles de galette sur un torchon bien sec. Garnissez-les d'une grosse cuillère à café de farce.

Refermez le côté gauche et droit de la pâte sur la farce. Roulez le tout en partant du bas du "triangle" qui se trouve vers vous. Préparez tous les nems de la même façon.

Plongez les nems dans une friture brûlante. Effectuez une "précuisson". Sortez-les de la friture. Juste avant de servir, replongez les nems en friture pour les dorer. Disposez-les dans des coupelles garnies de salade et de menthe.

4

5

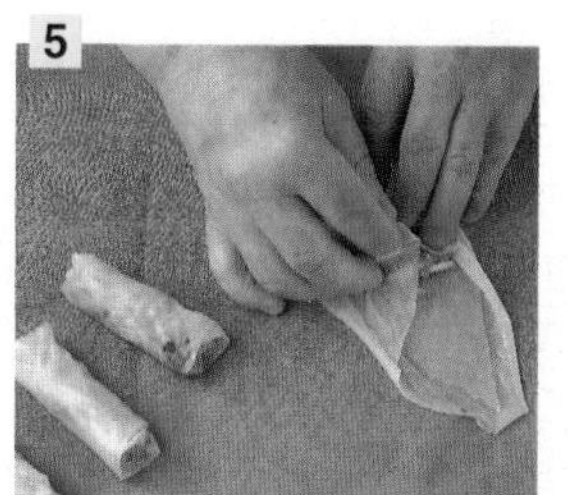

6

**4 personnes.** ★ **Préparation : 20 min.**

2 escalopes de poulet. 1 boîte de pousses de bambou.
3 ou 4 gros champignons noirs séchés. 50 g de pâté de soja.
2,5 cuillères à soupe de sauce soja. 1/4 de cuillère à café de glutamate.
1 cuillère à café de fécule de pommes de terre. 3 œufs. 3 cuillères à café de vinaigre.
1 cuillère à café de sel. Poivre.
**Décoration :** 1 cuillère à café de ciboulette

*Les champignons noirs utilisés ici sont aussi appelés "oreilles d'arbres" ou "oreilles de nuages". Ils doublent ou triplent de volume après réhydratation. Leur texture gélatineuse convient très bien aux soupes et aux fritures rapides.*

*Les soupes chinoises sont généralement des bouillons très clairs dans lesquels le cuisinier a fait mijoter pendant une courte durée des légumes, de la viande ou du poisson (parfois un mélange des trois), coupés en tranches ou râpés. Assaisonnements et garnitures sont ajoutés au moment de servir.*

Laissez tremper les champignons 15 min dans un bol d'eau tiède. Portez de l'eau à ébullition dans une casserole. Plongez les escalopes de poulet et faites cuire 10 min à eau frémissante.

Égouttez les champignons. Émincez les pousses de bambou, les champignons et le pâté de soja en fines lanières. Coupez le poulet dans le sens oblique, en lamelles régulières.

Versez le tout dans une casserole, et mélangez bien à froid.

# PÉKINOIS

**Cuisson : 15 min.** **Réhydratation des champignons : 15 min.**

Arrosez le mélange avec le bouillon de cuisson du poulet. Portez à ébullition. Puis ajoutez la sauce soja, le sel et le glutamate.

Délayez la fécule dans un ramequin d'eau froide. À la cuillère, versez la fécule dans la soupe frémissante. Mélangez vivement. Battez à part les œufs en omelette hors du feu.

Ajoutez le vinaigre dans la soupe, puis les œufs en remuant vivement. Servez très chaud. Saupoudrez de poivre et de ciboulette hachée.

# ROULEAUX DE

**4 personnes.** ★ **Préparation : 40 min.**

Enlevez les têtes des crevettes. Du bout des doigts, décortiquez toutes les carapaces. Réservez la chair dans un petit plat.

Coupez les brins de ciboule de la longueur des tranches de pain. Détaillez la tranche de jambon blanc assez épaisse en baguettes longues et fines.

Versez la chair des crevettes dans le bol d'un robot-ménager. Ajoutez du sel, du poivre, du sucre, du glutamate et de l'huile de sésame. Mixez le tout en pâte épaisse. Portez l'eau à ébullition dans le panier inférieur d'un cuit-vapeur.

1

2

3

# CREVETTES FRITS

**Cuisson : 5 min.**

8 tranches de pain de mie. 200 g de crevettes. 100 g de jambon blanc en tranche épaisse.
4 brins de ciboule. 1/4 de cuillère à café de glutamate.
1 pincée de sucre. Huile de sésame.
Poivre. Sel. Huile de friture.

*Lorsque vos crevettes seront mixées, vous pourrez remédier à leur éventuelle humidité en ajoutant de la fécule dans la farce. Notre chef a enrobé ses rouleaux de tranches de pain de mie qui commence à être commercialisé en Chine.*

*Pour préparer ses rouleaux, notre chef fait ramollir les tranches de pain à la vapeur pour pouvoir facilement les rouler autour de la farce.*

Enlevez la croûte du pain de mie. Taillez les tranches en carrés. Lorsque l'eau bout dans le cuit-vapeur, posez le pain dans le panier supérieur. Laissez-le 30 sec à la vapeur, le temps qu'il ramollisse.

Tartinez chaque tranche de pain ramollie avec de la pâte de crevettes. Disposez un brin de ciboule et une languette de jambon par-dessus. Roulez le tout, et scellez la bordure avec un peu de pâte de crevettes.

À l'aide d'une araignée, plongez les rouleaux 5 min dans une bassine à friture bouillante. Égouttez-les lorsqu'ils sont dorés. Coupez chaque rouleau en 3 tronçons, et dégustez bien chaud.

# ROULEAUX DE

**4 personnes.** ★ **Préparation : 30 min.**

8 feuilles de brick. 200 g d'échine de porc désossée. 1/2 chou chinois.
6 gros champignons parfumés séchés. 4 pousses de bambou.
2 cuillères à soupe de sauce soja.
1 cuillère à café de fécule de pommes de terre. 1 cuillère à soupe de sucre.
5 cl d'huile d'arachide. 1/4 de cuillère à café de glutamate.
Sel, Poivre. Huile de friture.

*Les rouleaux de printemps ont conquis depuis bien longtemps l'ensemble des tables chinoises. Il existe des centaines de farces différentes qui changent selon les envies et la fortune de la maîtresse de maison.*

*Vous pourrez sceller vos rouleaux à l'aide d'œufs battus ou de farine délayée avec de l'eau. Prévoyez si vous le désirez une autre sauce chaude préparée avec du concentré de tomates, du sucre, du sel et du vinaigre.*

Émincez l'échine de porc en fines escalopes, en la taillant en biseau. Recoupez-les en lanières minuscules.

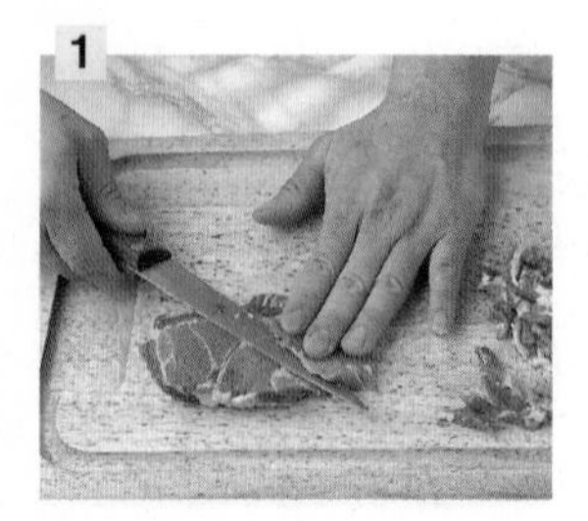

Mettez les champignons parfumés dans de l'eau tiède. Posez une assiette par dessus pour que les champignons ne flottent pas trop. Laissez-les tremper au moins 30 min.

Rincez les feuilles de chou. Émincez-les. Coupez les pieds des champignons et hachez les chapeaux. Découpez les pousses de bambou en petites lanières. Délayez la fécule dans un ramequin d'eau froide.

# PRINTEMPS CHINOIS

**Cuisson : 20 min.** **Réhydratation des champignons : 30 min.**

Faites sauter la viande à l'huile avec les pousses de bambou 3-4 min. Ajoutez l'émincé de choux. Remettez à dorer 10 min. Ajoutez la fécule délayée, sauce soja, sucre, glutamate, sel et poivre. Mélangez, remettez à cuire 2-3 min.

Étalez une feuille de brick sur le plan de travail. Posez de la farce au centre, repliez la feuille par-dessus, puis les bords gauche et droit. Continuez à rouler jusqu'au bout de la feuille.

Faites chauffer la bassine à friture. Plongez les rouleaux de printemps et laissez-les frire 2 min. Prélevez-les à l'écumoire et égouttez-les. Servez 2 rouleaux par personne.

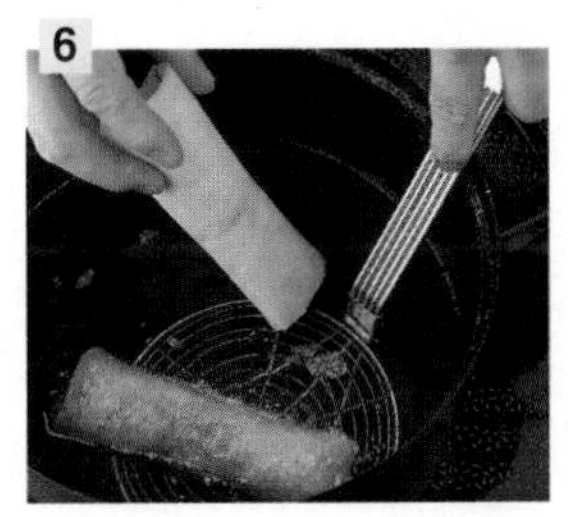

# SALADE DE BŒUF

**4 personnes.** ★ **Préparation : 30 min.**

Coupez en rondelles tomates et concombre. Émincez l'oignon. Hachez la racine et les feuilles de coriandre. Équeutez la menthe, hachez les tiges. Coupez la citronnelle en rondelles. Réservez.

Faites chauffer une poêle à fond épais sur feu vif, sans matière grasse. Lorsqu'elle est très chaude, saisissez la viande 2 min sur chaque face. Réservez la viande dans la poêle, hors du feu.

Préparez la sauce de salade : fendez le piment rouge en 2 dans la longueur. Épépinez-le. Hachez-le ainsi que les gousses d'ail épluchées. Rassemblez piment et ail hachés dans un saladier.

# THAÏLANDAISE

**Cuisson : 5 min.**

**Salade :** 120 g de viande de bœuf. 5 petites tomates. 1 concombre. 1 oignon rouge. 10 g de citronnelle. 10 g de racine de coriandre (hom nam). 2 branches de coriandre fraîche. 3 branches de menthe fraîche.
**Sauce :** 2 citrons jaunes. 2,5 cl de sauce de poisson. 10 g de sucre en poudre. 1 piment rouge. 2 gousses d'ail. 4 cl de vinaigre blanc.

*Consacrée reine des parfums, la citronnelle chinoise ou lemon-grass sera taillée en fines rondelles. Sa tige verte au sommet répand une saveur très citronnée.*

*Pour des saveurs authentiques, il est préférable de peser les ingrédients une fois coupés et hachés. Prenez le temps de les préparer séparément dans des coupelles, à la mode asiatique. Ajoutez-les par touches successives sur les dés de viande, puis laissez les parfums s'entremêler lentement.*

Versez dans le saladier de piment et d'ail, en premier lieu le sucre, puis la sauce de poisson et le jus de citron. Réservez pour assaisonner la salade.

4

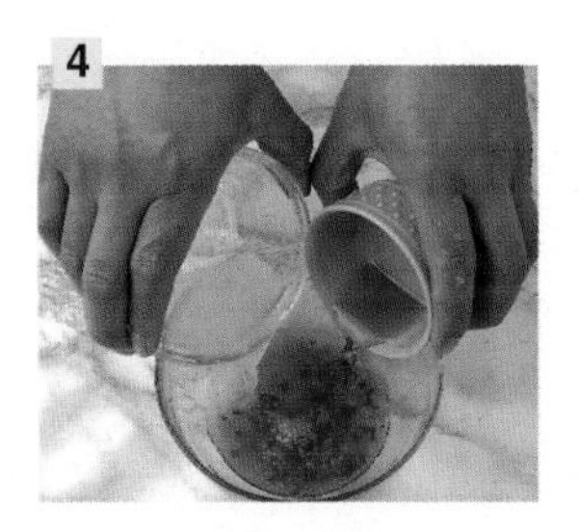

Tranchez la viande en 2 morceaux dans la largeur. Découpez chaque moitié en lanières de 1 cm d'épaisseur, puis en dés. Versez-les dans un grand saladier.

5

Couvrez la viande avec les premiers ingrédients émincés réservés sur l'assiette. Arrosez de sauce pour salade, puis de vinaigre blanc. Servez la salade tiède, décorée de feuilles de menthe réservées.

6

# SALADE DE

4 personnes. ★ Préparation : 35 min.

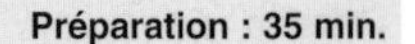

Égouttez le chou en saumure. Dissolvez le sucre avec 10 cl d'eau et 10 cl de vinaigre, en mélangeant vivement à la cuillère. Arrosez la terrine de choux avec ce sirop. Laissez mariner 12 h.

Disposez le magret de canard dans un plat à four. Additionnez de glutamate et de sauce soja. Salez et poivrez. Faites cuire au four 30 à 40 min à 180°C.

Tranchez finement le demi-chou blanc. Émincez les carottes dans la longueur, en lamelles fines puis retaillez-les en baguettes. Égouttez le chou mariné et hachez-le (réservez la marinade).

# CANARD LAQUÉ

**Cuisson : 30 à 40 min.** **Marinade du chou kaï choï : 12 h.**

300 g de magret de canard. 100 g de carottes. 100 g de chou kaï choï en saumure.
1/2 chou blanc. 1/4 de cuillère à café de glutamate. 400 g de sucre.
1 filet de sauce soja. 10 cl de vinaigre. 1 pincée de graines de sésame blanc.
1 filet d'huile d'arachide. Poivre. Sel.

*Le chou mariné dans du sel, du vinaigre et des épices est appelé kai choï. Ses larges feuilles de couleur vert pâle sur de larges tiges sont resserrées les unes sur les autres en forme allongée. Il accompagne aussi bien le porc, le poulet, le bœuf que les fruits de mer.*

*Les Chinois des régions du Sud consomment en été une grande variété de salades. Cependant, ces salades froides constituent rarement un plat unique. Elles sont presque toujours suivies par un plat chaud. Ici, la saveur sucrée de la salade de canard laqué aux légumes éveille l'appétit pour la suite du repas.*

Une fois le magret refroidi, fendez-le en 2 dans le sens horizontal, et détaillez-le en fines lamelles.

4

Versez dans une terrine les carottes, le chou blanc et le chou mariné. Ajoutez les morceaux de canard. Mélangez bien à l'aide de 2 fourchettes.

5

Versez 3 à 4 c. à s. de marinade de chou dans la salade, puis 1 filet d'huile d'arachide et mélangez. Dis-posez les magrets de canard sur la salade et parsemez-les de graines de sésame. Servez bien frais.

6

# SOUPE DE CREVETTES

**4 personnes.** ★ **Préparation : 45 min.**

8 grosses crevettes. 75 cl de bouillon de volaille. 150 g de champignons de Paris.
1 citron jaune. 4 piments oiseau.
40 g de galanga. 40 g de citronnelle chinoise. 4 cl de sauce de poisson.
4 feuilles de bergamote séchées. 3 branches de coriandre fraîche.

*Le galanga doit être employé avec modération. En effet, son goût fortement poivré peut heurter certains palais.*

*La citronnelle chinoise se présente en bâtons. Appelé seraï ou va kral, son bulbe ressemble à un petit oignon. N'utilisez que dix à quinze centimètres de tige à partir du bulbe. Son goût très citronné exige une découpe en rondelles très fines, tout comme la racine de galanga.*

Maintenez une crevette à plat sur la planche. De l'autre main, soulevez la carapace au niveau du dos. Décortiquez d'un coup sec. Réservez chaque crevette décortiquée dans une assiette.

Tranchez finement les bâtons de citronnelle et la racine de galanga. Portez le bouillon de volaille à ébullition dans un faitout. Dès le premier bouillon, ajoutez dans la casserole la citronnelle et le galanga. Laissez mijoter sur feu doux.

Rincez soigneusement les champignons puis épongez-les. Épluchez-les et coupez-les en quatre. Versez-les dans le bouillon. Laissez les saveurs se mélanger 2 à 5 min sur feu vif.

# À LA CITRONNELLE

**Cuisson : 10 min.**

Versez la sauce de poisson dans le bouillon, et attendez qu'elle s'incorpore au bouillon, sans mélanger. Pressez le citron. Versez aussitôt son jus.

Plongez les crevettes décortiquées dans le bouillon. Ajoutez 2 branches de coriandre fraîche. Laissez cuire 2 min sur feu doux.

Ajoutez dans le bouillon les feuilles de bergamote entières, puis les piments oiseau. Portez à ébullition. Dès le 1er bouillon, retirez la soupe du feu. Servez-la immédiatement avec de la coriandre fraîche.

4

5

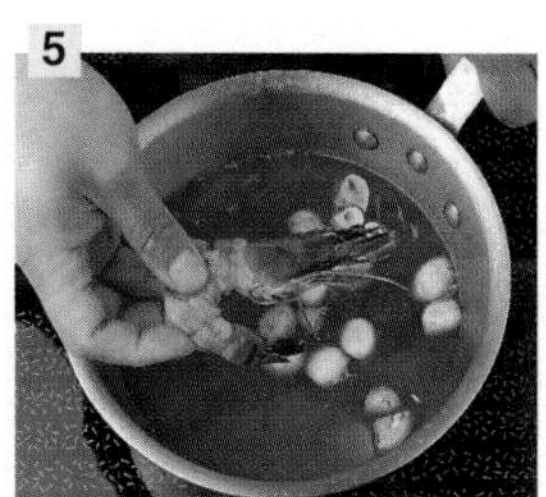

6

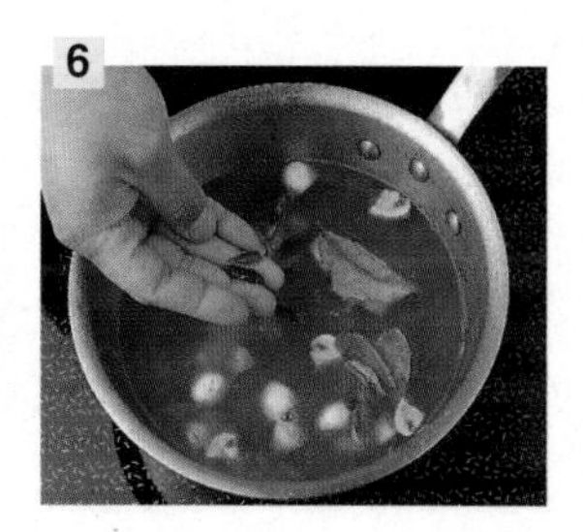

# SOUPE DE FRUITS

4 personnes. ★ Préparation : 30 min.

Plongez le poulet dans une marmite d'eau bouillante. Laissez-le cuire 30 à 40 min. Passez, et réservez le bouillon. Réhydratez les champignons 30 min dans de l'eau tiède.

Égouttez les champignons et découpez les têtes. Détaillez les pousses de bambou en gros tronçons, puis émincez-les en lamelles très fines.

Enlevez la tête des crevettes, et décortiquez-les. Émincez les chairs des coquilles Saint-Jacques. Détaillez le filet de cabillaud en cubes.

# DE MER DE CANTON

**Cuisson : 45 min.** **Réhydratation des champignons : 30 min.**

1 poulet. 50 g de pousses de bambou. 4 champignons noirs séchés.
8 petites crevettes. 8 noix de coquilles Saint-Jacques. 100 g de filet de cabillaud.
1/4 de cuillère à café de glutamate.
1 pincée de sucre. 1 cuillère à café de fécule de pommes de terre.
Quelques gouttes d'huile de sésame. 1 filet d'huile d'arachide. Sel. Poivre.

*La soupe peut être agrémentée de morceaux d'algues, de champignons, de carottes ou encore de pousses de bambou.*

*Les soupes chinoises aux fruits de mer ou au poisson ne sont jamais préparées avec du fumet de poisson. Les Chinois emploient du bouillon de poulet ou de porc dans lequel ils font brièvement pocher ailerons de requin, coquillages, crabes, seiches, moules, soles, dorades ou cabillaud.*

Portez de l'eau à ébullition dans une marmite. Plongez le cabillaud, les crevettes et les coquilles Saint-Jacques dans l'eau, et laissez-les pocher 30 sec. Passez la garniture et éliminez le liquide de cuisson.

4

Remettez crevettes, Saint-Jacques et cabillaud dans la marmite avec les pousses de bambou et les champignons. Arrosez de bouillon de poulet. Ajoutez le sucre, le glutamate et les huiles. Salez et poivrez.

5

Délayez la fécule dans une coupelle d'eau froide. Versez dans la soupe et remuez. Laissez épaissir 2-3 min en remuant sur feu doux. Servez bien chaud.

6

# SOUPE DE GAMBAS

**4 personnes.** ★★ **Préparation : 30 min.**

2 cuisses de poulet. 500 g de gambas. 50 g de pâte de tamarin. 1 filet de nuoc-mâm.
1/2 ananas frais. 2 tomates.
100 g de pousses de soja. 1 branche de basilic. 1 tige de citronnelle chinoise.
2 citrons jaunes. 1 petit piment frais (facultatif).

*La pâte de tamarin à la saveur acide se présente sous la forme d'une pulpe de couleur brun violacé. La gousse dont elle est extraite ressemble à un gros haricot brun à la chair fibreuse. Le tamarin est aussi commercialisé frais, déshydraté, en jus, en sirops, en saumure et confit.*

*Pour la confection du bouillon, vous pouvez remplacer les cuisses de poulet par des abattis ou une carcasse issus de la préparation d'un poulet entier, ou bien encore des os de porc.*

Portez à ébullition une marmite remplie d'eau. Plongez les cuisses de poulet dans l'eau bouillante, et laissez cuire 2 h.

Pendant ce temps, séparez la tête de la queue des gambas. Réservez les têtes. Détachez la chair de la carapace.

Fendez les gambas par le dos, afin de les ouvrir en "portefeuille". Enlevez les boyaux et réservez la chair obtenue.

1

2

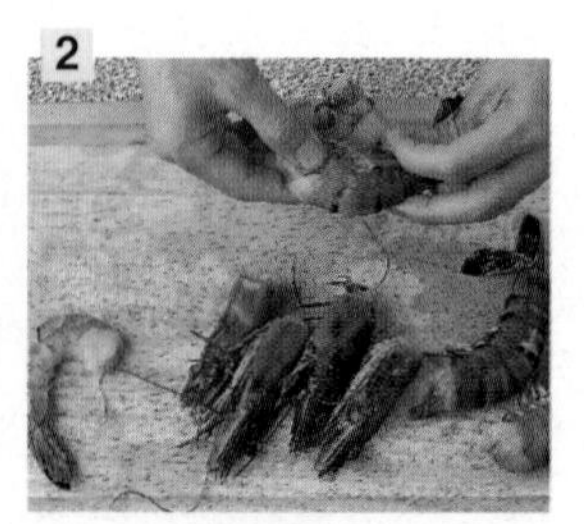

3

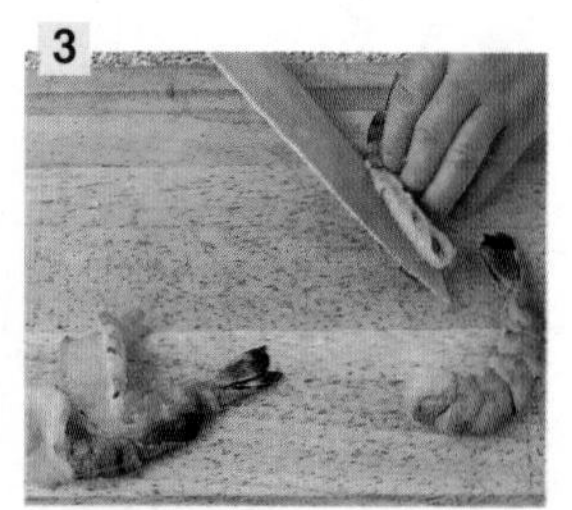

# À LA CITRONNELLE

Cuisson : 2 h 10.

Versez les têtes de gambas dans le bouillon de poulet et laissez cuire 3 min.

Ajoutez la pâte de tamarin dans le bouillon, puis le nuoc-mâm. Continuez à faire mijoter 5 min. Épluchez et coupez l'ananas en dés. Détaillez les tomates en quartiers.

Mélangez ananas, tomates, soja, basilic, piment émincé et citronnelle ciselée. Ajoutez-les au dernier moment dans le bouillon, plongez les crevettes réservées. Laissez cuire 2-3 min.

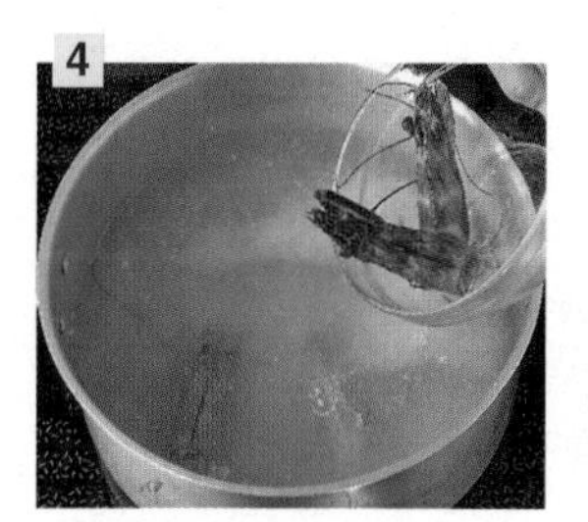

4

5

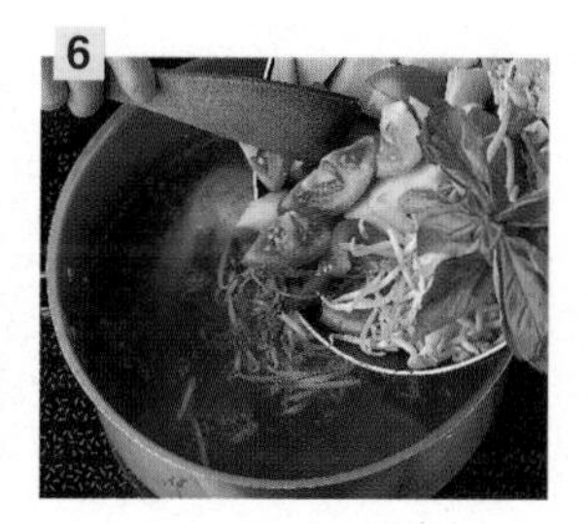

6

**4 personnes.** ★★ **Préparation : 30 min.**

500 g de bœuf à braiser. 500 g de rumsteck. 200 g de tripes de bœuf.
1 gros radis blanc. 1 oignon. 20 g de clous de girofle. 20 g de noix de muscade.
3 ou 4 graines d'anis étoilé. 4 grains de poivre blanc. 1 bâton de cannelle.
500 g de nouilles de riz larges fraîches. Sel.
**Accompagnement :** Pousses de soja. Citron vert. Menthe. Coriandre fraîche.
Basilic frais. Feuilles de salade (facultatif).

*Les pâtes de riz larges sont employées essentiellement pour la préparation du phó. Mais rien ne vous empêche d'utiliser des nouilles fines ou moyennes.*

*Vous pourrez intégrer du rumsteck et un morceau de paleron. Libre à vous d'ajouter des tripes, et des os de bœuf pour épaissir le bouillon. La lente cuisson n'a pas pour but de colorer la soupe, qui doit rester claire, mais permet à tous les sucs de viande de bien se dégager.*

Faites chauffer de l'eau salée dans une grande marmite. Plongez les morceaux de bœuf à braiser.

Piquez l'oigon de clous de girofle. Grillez-le légèrement sur une plaque électrique. Enveloppez oignon, cannelle, anis, poivre et muscade dans une mousseline. Mettez dans le bouillon ainsi que des tranches de radis blanc.

Plongez les tripes dans le bouillon. Portez à ébullition, et laissez cuire 2 h.

1

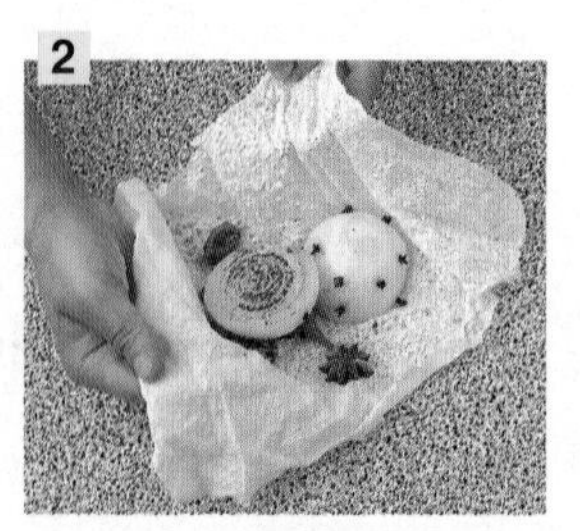

2

3

# PHÓ

**Cuisson : 2 h 10.**

Séparez les languettes de nouilles les unes des autres. Plongez-les dans une petite casserole d'eau bouillante, et laissez cuire 2 min. Égouttez les pâtes.

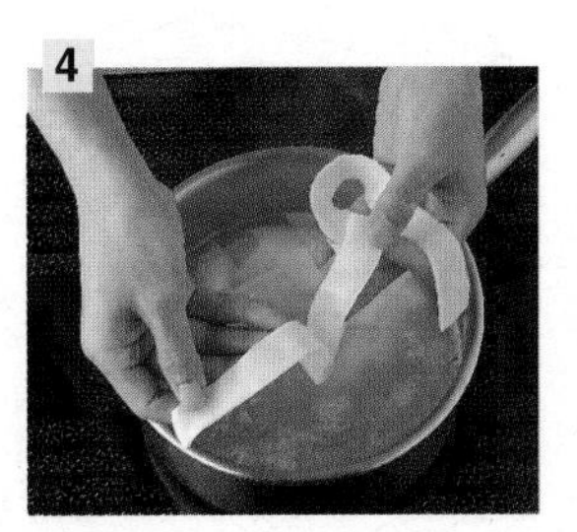

Tranchez le rumsteck cru en fines lamelles. Puis émincez le bœuf cuit et les tripes. Blanchissez les pousses de soja 1 à 2 min.

Disposez les pâtes, le bœuf et les tripes bouillis et le rumsteck. Dans un autre bol, disposez des feuilles de salade, pousses de soja, tranches de citron vert, menthe, coriandre et basilic. Arrosez les viandes de bouillon brûlant.

# VELOUTÉ D'ASPERGES

**4 personnes.** ★ **Préparation : 25 min.**

Pour le bouillon mélangez poulet, carottes, gingembre et céleri. Mouillez d'eau à hauteur, et laissez cuire 20 min. Épluchez les asperges. Plongez-les dans de l'eau bouillante et laissez cuire 20 min.

Égouttez les asperges. Taillez-les en biseau, en petits tronçons de 2 ou 3 cm de long. Égouttez le poulet et réservez le bouillon.

Dans une casserole, mélangez les morceaux d'asperges avec le bouillon de poulet filtré. Salez, poivrez. Portez à ébullition.

# ET CRABE

**Cuisson : 30 min.**

1 petite boîte de crabe. 12 asperges blanches. 2 cuisses de poulet.
2 carottes. 2 cm de gingembre frais. 1 pied de céleri branche.
1 œuf. 1 cuillère à café de fécule de pommes de terre.
1/4 de cuillère à café de glutamate. Sel. Poivre.

*On emploiera les asperges blanches pour confectionner des soupes, tandis que les vertes seront sautées au wok. On propose dans les menus chinois des mélanges de légumes tel le lu sun san su, à base d'asperges, de champignons, de pois gourmands et de chou pak choï.*

*Le velouté d'asperges au crabe proposé par notre chef serait originaire de Canton. La cuisine de cette province est peu épicée et d'une grande légèreté. Les cuisiniers locaux proposent des petits plats sautés, des potages, des petites bouchées à la vapeur (dim sum) et la mise en valeur des fruits de mer.*

Délayez la fécule dans un ramequin d'eau froide. Versez-la dans la soupe à l'aide d'une cuillère. Mélangez.

En poussant à la cuillère, ajoutez la chair de crabe et le glutamate dans la soupe. Mélangez. Laissez épaissir 5 min à feu moyen, en tournant toujours.

Battez l'œuf en omelette. Ajoutez-le peu à peu dans la soupe, hors du feu. Remuez vivement à la cuillère. Versez dans de jolis bols, et dégustez très chaud.

4

5

6

# BAR AU

**4 personnes.** ★ **Préparation : 45 min.**

1 bar de 2 kg ou 4 pièces de 500 g. 30 g d'ail. 25 g de coriandre fraîche.
30 g de sucre en poudre. 5 g de petit piment rouge frais. 10 cl de sauce de poisson.
2 citrons verts.
**Décoration :** Tranches de citrons verts.

*Après cuisson, notre chef vous offre le choix de la présentation : les bars de petite taille resteront entiers, tandis que les gros seront découpés en parts individuelles.*

*Le bar devra être soigneusement écaillé, car de nombreuses petites écailles passent souvent inaperçues. Ensuite, le poisson parfumé de sauce cuira doucement à la vapeur, avec sa peau. Le citron vert à la saveur très fraîche mais un peu aigrelette, peut être remplacé par un jus de citron jaune.*

Avec des ciseaux à lames crantées, sectionnez les nageoires ventrales et caudales du bar. Évidez-le. Rincez soigneusement l'intérieur sous un filet d'eau froide. Séchez doucement au papier absorbant.

Équeutez la coriandre. Hachez finement les tiges ainsi que les gousses d'ail épluchées et le piment équeuté. Versez le tout dans un saladier et mixez directement, jusqu'à obtention d'un hachis homogène.

Pressez les citrons verts. Pesez le jus obtenu. Prélevez 105 g, et versez-les sur le hachis. Fouettez le mélange.

1

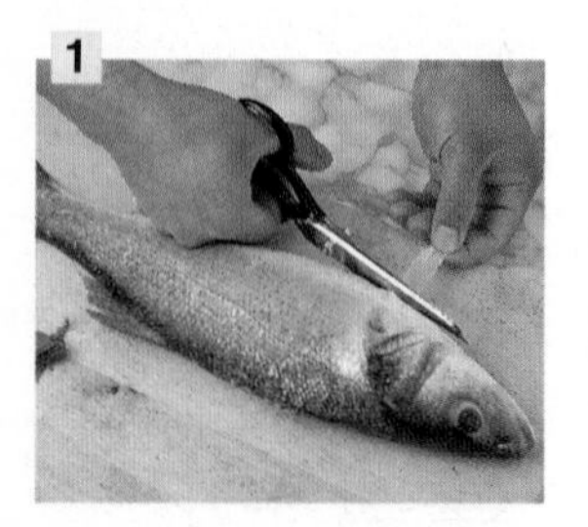

2

3

# CITRON VERT THAÏ

**Cuisson : 10 min.**

Une fois le jus de citron bien incorporé au hachis, ajoutez la sauce de poisson et le sucre en poudre. Fouettez jusqu'à obtention d'une sauce homogène et fluide.

Rangez le poisson sur un plat permettant une cuisson à la vapeur. À l'aide d'une petite louche, arrosez le bar avec la sauce, en procédant par petites quantités.

Remplissez d'eau aux 3/4 un long récipient à bords hauts. Disposez par-dessus le plat contenant le poisson en sauce. Couvrez d'un film alimentaire. Laissez cuire le poisson à la vapeur, 10 min à feu doux.

4

5

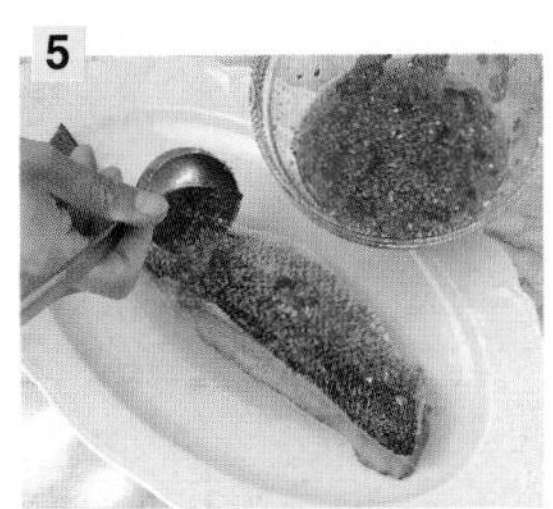

6

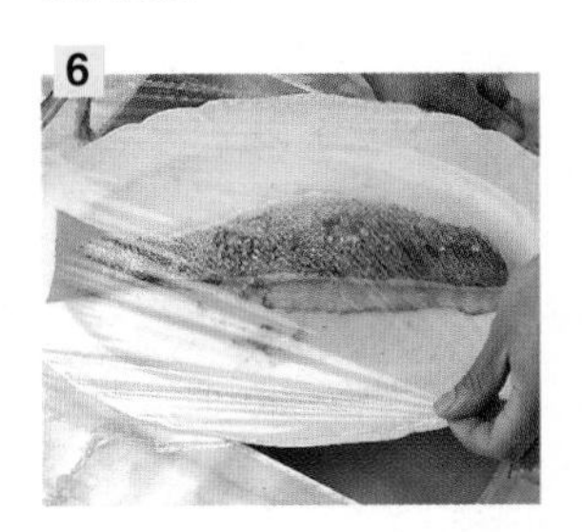

# BROCHETTES DE SAINT-JACQUES

**4 personnes.** ★ **Préparation : 35 min.**

**Brochettes :** 500 g de noix de coquilles Saint-Jacques. 1 cuillère à café de fécule. 5 cl de nuoc-mâm. 2 gousses d'ail. 2 grosses échalotes. 1/4 de cuillère à café de glutamate. 1 pincée de sucre. Sel. Poivre. Huile pour le gril.
**Sauce :** 1 citron vert. 100 g de sucre. 1 ou 2 piments. 10 cl de vinaigre. 5 cl de nuoc-mâm.
**Décoration :** 250 g de vermicelles vietnamiens. 1 concombre. 50 g de cacahuètes. 2 carottes. 1 tige de ciboule. 1 salade Batavia. (facultatif).

*Surveillez attentivement la cuisson, des noix de coquilles Saint-Jacques. Car elles deviennent vite fibreuses et diminuent facilement de volume.*

*Réputées pour leur croustillant, les cacahuètes seront saupoudrées tout à la fin sur les brochettes. Il faut les décortiquer, les faire griller à la poêle puis les rouler dans un linge afin d'éliminer la peau. Vous les pilerez ensuite dans un mortier.*

Pour préparer la sauce, pressez le jus du citron vert dans un bol. Ajoutez le sucre, des rondelles de piment, du nuoc-mâm et du vinaigre. Mélangez cette sauce et réservez-la.

1

Disposez les noix de Saint-Jacques dans un plat. Saupoudrez-les d'1 cuillère à café de fécule. Salez-les.

2

Arrosez les Saint-Jacques de nuoc-mâm. Assaisonnez d'ail et d'échalotes hachés, de glutamate, de sucre et de poivre. Laissez mariner 5 min environ.

3

# À LA VIETNAMIENNE

**Cuisson : 15 min.**

Enfilez 3 noix de coquilles Saint-Jacques par brochette en bois.

Huilez un grand gril à viande avec un pinceau. Lorsqu'il est brûlant, saisissez les brochettes sur toutes leurs faces, pendant 10 à 15 min en les retournant souvent. Faites cuire les vermicelles 10 min à l'eau bouillante.

Disposez les vermicelles au fond des assiettes. Posez dessus les brochettes. Décorez de carottes et de concombre. Saupoudrez de cacahuètes pilées et de ciboule ciselée. Accompagnez d'une coupelle de sauce réservée.

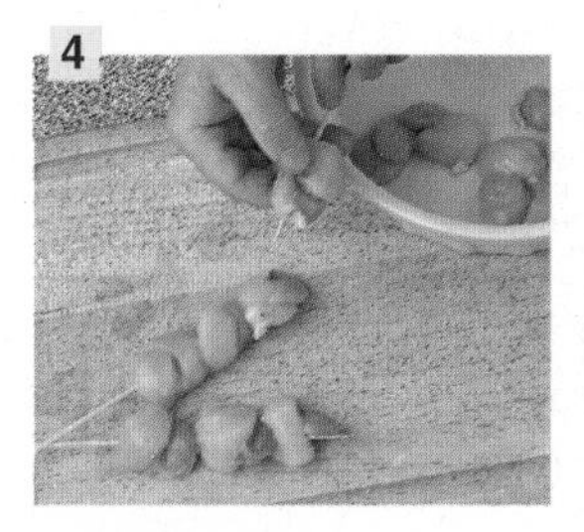

4

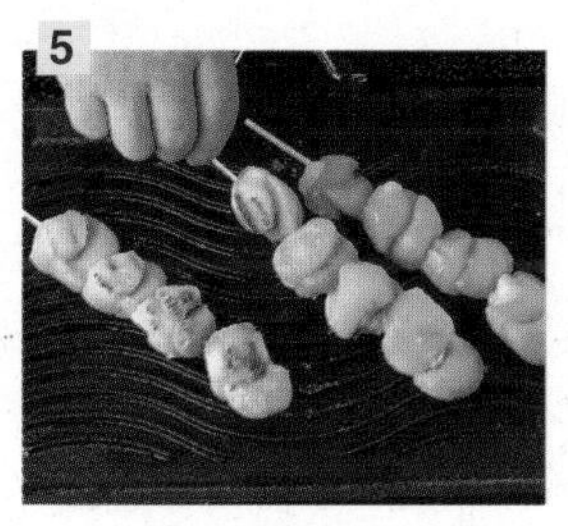

5

6

# CREVETTES SAUTÉES DE

4 personnes. ★ Préparation : 20 min.

Décortiquez soigneusement les crevettes. Commencez par enlever la tête, puis retirez le reste de la carapace en tirant sur la queue. Éliminez ensuite les pattes restantes.

Épluchez et coupez la mangue en 2 le long du noyau. Émincez-la dans le sens horizontal, puis recoupez en cubes. Pochez-la 5 min dans de l'eau additionnée d'1 pincée de sucre. Émincez le concombre et réservez le tout.

Fendez les crevettes par le dos et ôtez le boyau. Dans une terrine, mélangez-les avec la fécule, 1 pincée de sucre, le sel, le poivre, le glutamate et l'huile de sésame.

1

2

3

# HONG KONG À LA MANGUE

**Cuisson : 15 min.**

1 mangue. 300 g de grosses crevettes. 100 g de champignons de Paris.
100 g de carottes. 1 petit concombre. 1/4 de cuillère à café de glutamate.
2 pincées de sucre.
1 cm de gingembre frais. 1 cuillère à soupe de fécule de pommes de terre.
Quelques gouttes d'huile de sésame. Poivre. Sel. Huile de friture.

*Les champignons les plus couramment employés en Chine sont les champignons noirs "oreille de nuages" à la texture très gélatineuse, qui poussent sur les troncs d'arbres.*

*Dans ce plat, notre chef a fendu les crevettes par le dos afin qu'elles cuisent plus rapidement et que leur présentation soit plus raffinée. Si vous le souhaitez, vous pouvez parfumer ce plat de sauce soja.*

Nettoyez les champignons de Paris et éliminez les pieds. Coupez les têtes en quartiers. Donnez une jolie forme aux carottes, puis émincez-les ainsi que le gingembre.

Lorsque l'huile est brûlante, plongez les crevettes dedans et laissez-les frire 3-4 min, en les retournant pour qu'elles soient bien cuites de tous côtés. Égouttez les crevettes et éliminez de la poêle la plus grande partie de l'huile.

Faites ensuite sauter 2-3 min les champignons, les carottes et le gingembre. Ajoutez les crevettes. Remuez sur feu moyen. Ajoutez la mangue en dernier lieu. Remuez un instant, et servez décorez de rondelles de concombre.

4

5

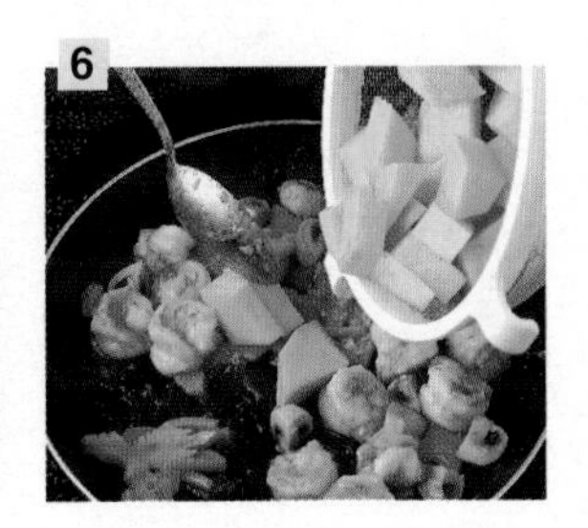

6

# CREVETTES SAUTÉES,

**4 personnes.** ★ **Préparation : 25 min.**

1 kg de grosses crevettes roses. 1 oignon. 2 cm de gingembre frais.
1 cuillère à café de sauce Worcestershire. 3 cuillères à soupe de sucre.
4 cuillères à soupe de concentré de tomates.
1 cuillère à café de fécule de pommes de terre. 1 pincée de piment de Cayenne.
1 citron pour décorer. Sel. Poivre. Huile pour poêler.

*Les Chinois disposent d'une large variété de crevettes. Elles sont proposées bouillies, dans des sauces au curry, aux piments, aux haricots noirs ou au gingembre, ou encore à la ciboulette.*

*On aime aussi les crevettes seules ou mélangées avec du poisson, cuites à la vapeur, en beignets et dans les farces de ravioli. Les Chinois les font enfin sécher, les réduisent en une poudre très fine et les utilisent comme condiment pour relever les ragoûts.*

Épluchez le gingembre et l'oignon. Hachez-les très finement, sur une planche à découper.

Avec des ciseaux de cuisine, coupez les pattes et les antennes des crevettes. Décortiquez-les en partant de l'anneau situé près de la tête. Laissez-leur la tête.

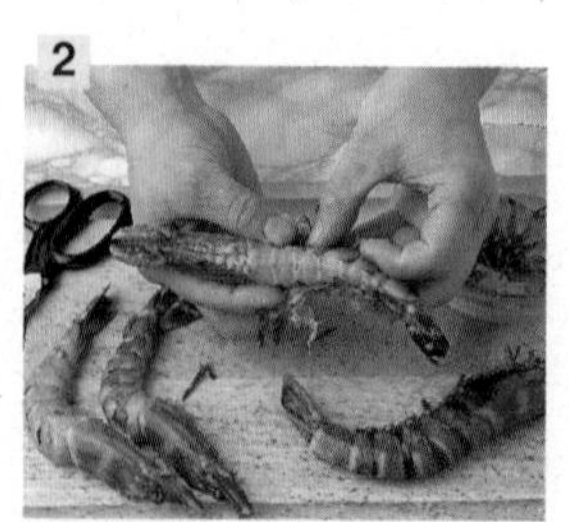


Avec un petit couteau d'office, ouvrez les crevettes par le dos. Enlevez l'intestin en le tirant avec les doigts.

# SAUCE SETCHOUAN

**Cuisson : 20 min.**

Laissez revenir les crevettes 10 min à feu assez vif. Retournez-les plusieurs fois afin qu'elles dorent bien de tous côtés.

Faites suer gingembre et oignon 5 min. Ajoutez concentré de tomates, sucre, sel, poivre, piment et sauce Worcestershire. Délayez la fécule dans un peu d'eau, et versez-la dans la sauce. Mélangez sur feu doux.

Lorsque les crevettes sont bien rouges, ajoutez-leur la sauce à la tomate. Mélangez à la cuillère. Réchauffez quelques instants, et servez avec des rondelles de citron.

**4 personnes.** ★ **Préparation : 15 min.**

Faites tremper les champignons 15 min dans de l'eau tiède. Avec votre couteau-chef, émincez le filet de cabillaud en morceaux d'environ 5 cm sur 3 cm.

Disposez le poisson dans une terrine. Arrosez de 2 c. à s. de vin jaune et salez. Versez le demi-blanc d'œuf. Mélangez vivement du bout des doigts.

Saupoudrez 1 c. à s. de fécule sur le cabillaud. Mélangez de nouveau du bout des doigts, afin que le poisson soit bien enrobé. Égouttez les champignons réhydratés, et coupez-les en petits morceaux.

# AU VIN JAUNE CHINOIS

**Cuisson : 15 min.** **Réhydratation des champignons : 15 min.**

1 filet de cabillaud. 1/2 blanc d'œuf. 5 cl de lait concentré non sucré.
5 brins de ciboulette. 5 champignons noirs séchés.
6 cuillères à soupe de vin jaune Shao Xing.
3 cuillères à café de sucre. 1/4 de cuillère à café de glutamate.
2 cuillères à soupe de fécule de pommes de terre.
Sel. 50 cl d'huile de friture.

*Le vin de riz qui parfume ce plat de poisson est produit dans les environs de Shao Xing. De couleur ambrée, il est fabriqué à partir de riz gluant et titre de 15 à 18°.*

*Dans la cuisine chinoise, le vin de riz convient aussi bien à la viande qu'au poisson. Il rehausse très bien les sauces au soja sucrées. Vous pouvez le remplacer par un Xérès demi-sec.*

Faites chauffer 50 cl d'huile dans une poêle à poisson. Lorsqu'elle est brûlante, faites frire les morceaux de poisson pendant 3-4 min, sans les laisser dorer.

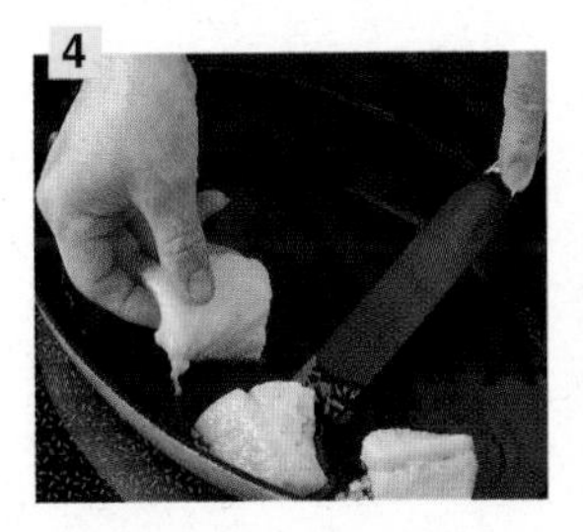


Dans une poêle, versez 15 cl d'eau, 4 c. à s. de vin jaune et du sel. Mettez à chauffer, puis disposez le poisson dans la sauce à l'aide d'une spatule. Laissez mijoter 2 min.

Ajoutez les champignons. Réchauffez 2-3 min. Délayez 1 c. à s. de fécule avec 5 cl de lait concentré, le sucre, le glutamate et 5 cl d'eau. Versez sur le cabillaud, mélangez et faites épaissir 5 min à feu vif.

# MARMITE DE POISSON

**4 personnes.** ★ **Préparation : 20 min.**

1 queue de lotte. 15 cl d'alcool de riz. 2 gousses d'ail. 3 cm de gingembre frais.
1 œuf. 1/4 de cuillère à café de glutamate.
1 cuillère à soupe de fécule de pommes de terre. 50 g de sucre de coco.
10 cl de jus de coco. 1 branchette de poivre vert frais. 3 cl de nuoc-mâm.
1 tige de citronnelle chinoise. 2 ou 3 brins de ciboule. 3 ou 4 brins de coriandre.
Sel. Poivre. 5 cl d'huile pour poêler.

*La saveur principale de notre recette provient de la macération du poisson avec les condiments, rehaussée par l'acidulé du jus de coco.*

*Notre chef compense l'absence de saveur sucrée en ajoutant un peu de sucre de coco dans la sauce. Ce produit de couleur blanche, un peu grumeleux est fabriqué avec la chair de coco pressée. On recueille le jus puis on le raffine pour en extraire le sucre. Quant au gingembre, il apporte sa saveur piquante.*

Coupez la lotte. Dans un bac, additionnez la lotte de sel, poivre, 10 cl d'alcool de riz, de l'ail haché, et de 2 c. à s. de gingembre broyé. Laissez mariner 10 min. Battez l'œuf avec le glutamate et versez. Mélangez avec la fécule.

Poêlez les morceaux de lotte 5 min dans de l'huile chaude, jusqu'à ce qu'ils commencent à dorer.

Ajoutez le sucre de coco et le jus de coco à la lotte. Laissez fondre sur feu moyen.

# AU POIVRE VERT

**Cuisson : 25 min.** **Marinade de la lotte : 10 min.**

Additionnez ensuite la préparation avec des grains de poivre verts frais.

Ajoutez le nuoc-mâm et une rondelle épaisse de gingembre frais. Laissez mijoter jusqu'à ce que le mélange caramélise un peu.

Arrosez le poisson avec 5 cl d'alcool de riz. Laissez mijoter environ 15 min. Émincez la citronnelle et la ciboule puis ajoutez-les dans la lotte. Versez-la dans un joli plat. Décorez de feuilles de coriandre.

4

5

6

# BROCHETTES DE VEAU

**4 personnes.** ★ **Préparation : 20 min.**

Coupez l'escalope de veau en lanières. Retaillez-les en 2 dans l'épaisseur, afin d'obtenir des lamelles très fines.

Disposez la viande dans une terrine. Ajoutez 1 c. à c. de fécule, 1/4 de c. à c. de glutamate, la pincée de sucre et l'huile de sésame. Salez et poivrez. Laissez mariner le veau 20 min. Faites cuire le riz 20 min à l'eau bouillante salée.

Une fois marinée, piquez une brochette dans une lanière de veau, et enfilez-la jusqu'au bout du morceau de viande, en piquant à plusieurs reprises. Procédez de même pour les autres brochettes.

1

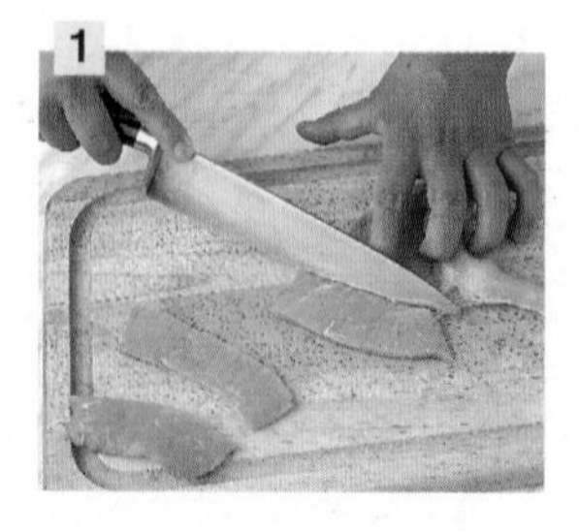

2

3

# ET RIZ CANTONAIS

**Cuisson : 25 min.**

400 g d'escalope de veau très fine. 1/2 cuillère à café de glutamate. 1 pincée de sucre. 2 cuillères à café de fécule de pommes de terre. 1 filet de vinaigre. 1 cuillère à soupe de sauce anglaise Worcestershire. 2 cuillères à soupe de concentré de tomates. Quelques gouttes d'huile de sésame. Poivre. Sel. Huile d'arachide.
**Riz cantonais :** 380 g de riz. 2 œufs. 100 g de jambon blanc en dés. 50 g de petits pois. cuits. 4 brins de ciboule. 100 g de petites crevettes cuites. Sel.

*Cette préparation connaît de nombreuses variantes avec des petits morceaux d'omelette, de bœuf cuit, de poulet, de porc, des grosses crevettes sautées, des rondelles de saucisse fumée ou encore des brocolis.*

*En Chine, les brochettes constituent une collation que l'on consomme comme en-cas, comme goûter et à tout moment de la journée pour satisfaire une petite faim. Elles sont préparées avec du porc, du bœuf, du veau, du poulet ou des crevettes. Ici, nous vous les proposons avec du riz pour en faire un plat de viande principal.*

Mélangez 1 c. à c. de fécule, sel, poivre, 1/4 de c. à c. de glutamate et 2 c. à s. de concentré de tomates avec 2 c. à s. d'eau. Ajoutez 1 c. à s. de sauce anglaise, du vinaigre, de l'huile de sésame et 1 filet d'huile d'arachide.

4

Faites cuire les œufs 5 min pour les brouiller. Décortiquez les crevettes. Ciselez la ciboule. Mélangez le riz avec tous ces ingrédients et les dés de jambon puis salez. Décorez de petits pois et faites frire 5 min.

5

Faites dorer les brochettes à feu vif, 10 min dans une poêle huilée et chauffée. Servez avec un bol de riz cantonais et une coupelle de sauce à la tomate.

6

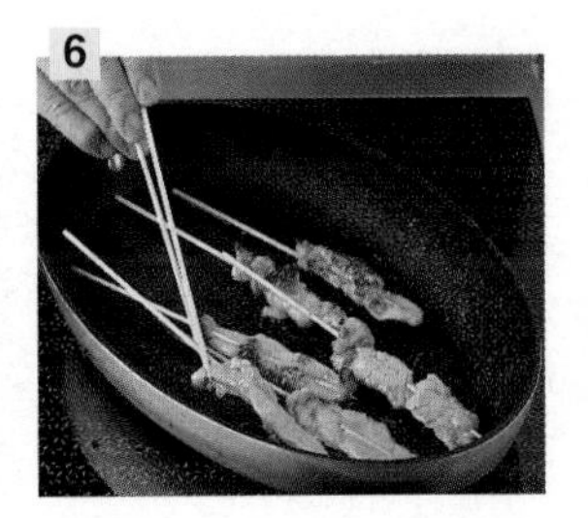

**4 personnes.** ★ **Préparation : 25 min.**

2 magrets de canard. 1 tige de céleri branche. 2 cm de gingembre frais. 1 gros oignon.
2 cuillères à café de poudre de cinq-parfums.
1/2 cuillère à café de poudre de curry. 1/2 cuillère à café de glutamate.
2 cuillères à café de sucre. 1,5 cuillère à soupe de sauce soja. Sel.

*Notre chef emploie du glutamate de sodium. Il s'agit d'un condiment sous forme de poudre blanche extraite du gluten des céréales.*

*Vous pouvez vous procurer la poudre de cinq-parfums toute prête ou la confectionner vous même. Elle comprend généralement de l'anis étoilé, du fagara, de la cannelle, des graines de fenouil et des clous de girofle. Sa saveur est si intense qu'il vous faudra l'employer avec parcimonie.*

Dans un bol, mélangez 1 c. à c. de poudre de cinq-parfums, le curry, 1/4 de c. à c. de glutamate, 1 c. à c. de sucre et le sel.

Disposez les magrets dans un plat à gratin, côté peau dessous. Avec une petite cuillère, parsemez-les d'épices, côté chair et côté peau. Frottez du bout des doigts afin de bien répartir les épices.

Préparez le gingembre, l'oignon, et le céleri. Disposez les sur les magrets, en alternant. Ajoutez un verre d'eau. Laissez mariner 10 min. Faites cuire 1 h au four à 170°C.

# AUX CINQ-PARFUMS

**Cuisson : 1 h 05.** **Marinade des magrets : 10 min.**

Disposez les magrets cuits sur une planche à découper. Avec votre couteau-chef, détaillez-les en lamelles régulières.

Versez 20 cl d'eau dans une casserole. Ajoutez 1,5 c. à s. de sauce soja, 1 c. à c. de sucre, 1/2 c. à c. de sel, 1/4 c. à c. de glutamate et 1 c. à c. de cinq-parfums. Chauffez 5 min à feu doux.

Dressez les magrets reconstitués sur des assiettes de service. Nappez-les de sauce aux cinq-parfums.

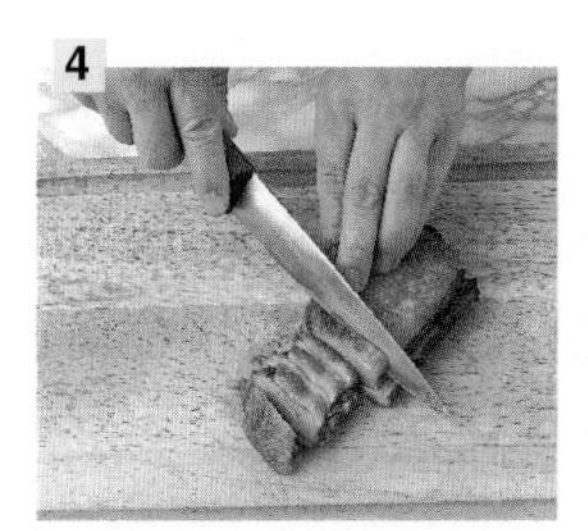

4

5

6

**4 personnes.** ★ **Préparation : 30 min.**

Plongez le poulet dans une marmite d'eau bouillante et faites-le cuire 45 min. Mettez les champignons à réhydrater 30 min dans de l'eau tiède.

Lorsque le poulet est cuit, prélevez-le du bouillon à l'écumoire, et laissez-le refroidir. Coupez la tranche de jambon épaisse en petits rectangles. Égouttez les champignons et détaillez les têtes en gros morceaux.

Coupez grossièrement les feuilles de chou chinois. Pochez-les dans l'eau 5 min.

1

2

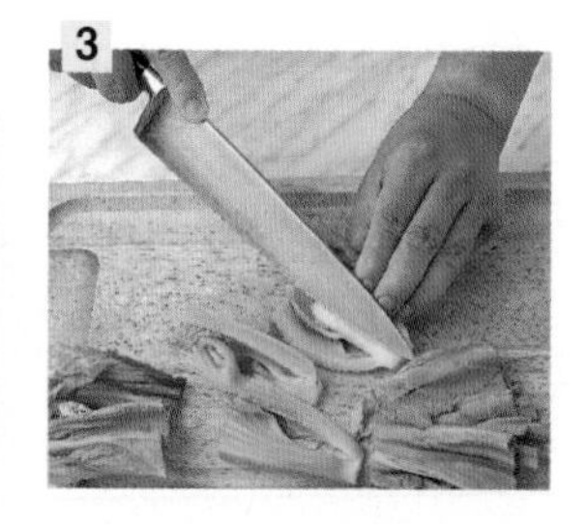

3

# IMPÉRIAL

**Cuisson : 55 min.** **Réhydratation des champignons : 30 min.**

1 poulet. 15 champignons noirs parfumés séchés.
100 g de jambon blanc en tranche épaisse. 1 chou chinois kaï choï.
1/4 de cuillère à café de glutamate. 1 pincée de sucre.
1 cuillère à café de fécule de pommes de terre. 1 filet d'huile d'arachide.
Quelques gouttes d'huile de sésame. Poivre. Sel.

*On peut aussi réaliser le "poulet impérial" en l'enveloppant dans des feuilles de lotus, puis l'enserrer dans une seconde enveloppe à base de farine et d'eau et passé au four.*

*Notre chef accompagne son plat de poulet et de jambon avec du chou chinois kaï choï. Ses larges feuilles vert pâle très resserrées donnent à ce chou une forme assez allongée. Sa saveur un peu forte et amère rappelle un peu le goût de la moutarde.*

Détachez les ailerons du poulet. Fendez la chair de chaque côté du cou, et détachez les deux côtés le long de la carcasse. Éliminez la carcasse.

4

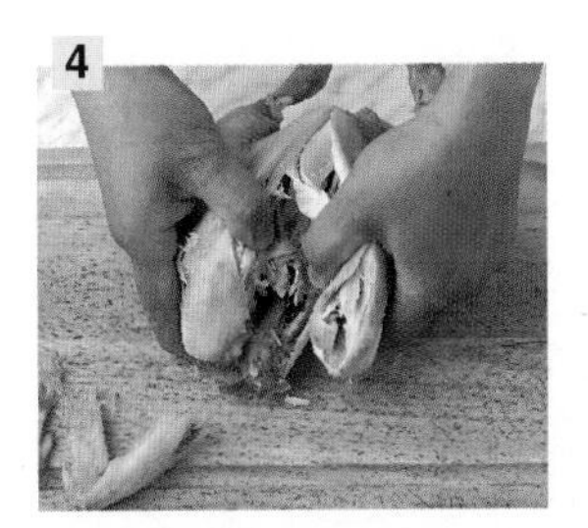

Coupez la chair de poulet en lamelles. Sur un plat, disposez par alternance les morceaux de poulet, les champignons et les lamelles de jambon. Dans les interstices, disposez des feuilles de chou chinois.

5

Portez 10 cl d'eau à ébullition. Ajoutez de la fécule délayée dans de l'eau froide, l'huile d'arachide, de sésame, le glutamate, le sucre, le sel et le poivre. Mélangez 2-3 min sur feu. Nappez le poulet de sauce.

6

# LOC

**4 personnes.** ★ **Préparation : 15 min.**

Posez le rumsteck sur une planche à découper. Avec un couteau-chef, détaillez-le en tranches, puis en petits dés.

Disposez les cubes de viande dans un plat. Parsemez-les de fécule en la mêlant d'un peu d'eau. Puis assaisonnez de 10 cl de nuoc-mâm, de glutamate et de poivre.

Arrosez d'un filet d'huile puis d'alcool de riz. Mélangez. Laissez mariner 20 min.

1
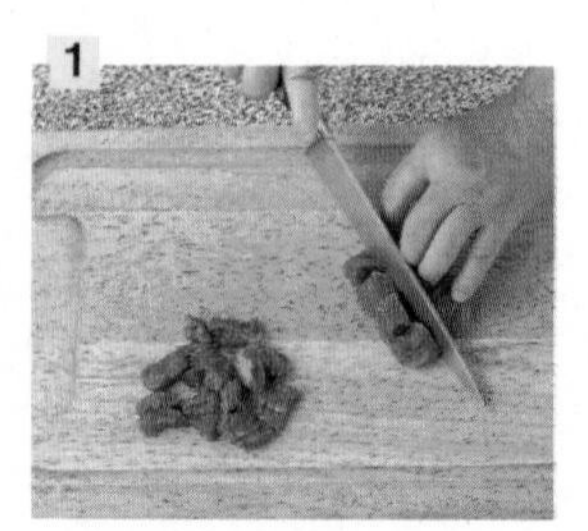

2

3

# LAC

**Cuisson : 5 min.** **Marinade de la viande : 20 min.**

200 g de rumsteck. 5 ou 6 cuillères à soupe de concentré de tomates.
1 filet de vinaigre. 5 cl d'alcool de riz. 1 pincée de sucre.
1 cuillère à soupe de fécule de pommes de terre. 1 gousse d'ail.
1/4 de cuillère à café de glutamate. 15 cl de nuoc-mâm.
1 filet de sauce d'huîtres. Poivre, huile.
**Accompagnement facultatif :** 1 salade Batavia. 2 ou 3 grosses carottes.
1 concombre. 1 citron jaune. Riz blanc.

*L'alcool de riz apporte une touche particulière à la marinade. Incolore, il peut titrer jusqu'à 30°.*

*Notre chef a relevé la marinade avec du nuoc-mâm. Cette sauce de couleur ambrée est fabriquée en laissant macérer des petits poissons salés plusieurs mois au soleil, dans des jarres. Spécialité du sud du Vietnam, le meilleur nuoc-mâm proviendrait de l'île de Phu Quôc et de la ville de Phan Thiêt.*

Faites chauffer de l'huile dans une poêle avec un peu d'ail écrasé. Laissez rissoler la viande en la retournant plusieurs fois, le temps que la viande soit saisie mais pas complètement cuite.

Dans un bol, mélangez le concentré de tomates avec un peu d'eau froide, du vinaigre, de la sauce d'huîtres, 1 pincée de sucre, 5 cl de nuoc-mâm et le reste d'ail écrasé.

Faites chauffer la sauce tomate dans la poêle de la viande. Lorsqu'elle est brûlante, ajoutez la viande et laissez-les cuire "le temps d'un aller-retour". Dégustez chaud, accompagné de salade, de légumes ou de riz.

# POULET SATINÉ À LA CIBOULETTE

**4 personnes.** ★ **Préparation : 30 min.**

4 cuisses de poulet. 2 morceaux de gingembre de 5 cm. 1 petit bottillon de ciboulette.
4 ou 5 branches de coriandre. 4 cuillères à soupe de sucre.
3,5 cuillères à soupe de sauce soja.
1/4 de cuillère à café de glutamate. 1/2 cuillère à café de piment de Cayenne.
1/2 cuillère à soupe de vinaigre. 1 cuillère à café de poivre blanc.
Huile de friture.

*Poulets et canards sont à la base d'un grand nombre de plats familiaux chinois. Le poulet est cuit entier ou en morceaux, en cubes, émincé en très fines lamelles ou incorporé haché dans des farces de rouleaux de printemps ou de ravioli.*

*La sauce soja s'intègre dans un ensemble varié de sauces chinoises aux multiples saveurs. Elle est préparée à partir de haricots de soja fermentés en saumure. La sauce claire, assez salée et parfumée, convient aux fruits de mer. La sauce plus foncée et douce est plus appréciée avec les viandes et les champignons.*

Fendez les cuisses de poulet en deux du côté peau. Avec un petit couteau bien tranchant, tournez tout autour de l'os jusqu'à le dégager complètement de la chair.

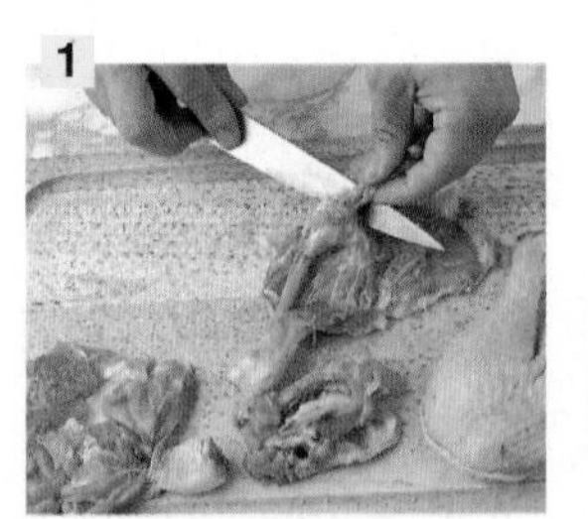

Faites chauffer une bassine à friture. Avec une araignée, plongez les cuisses de poulet dans l'huile très chaude. Laissez-les cuire au moins 10 min jusqu'à ce que la peau soit dorée et croustillante.

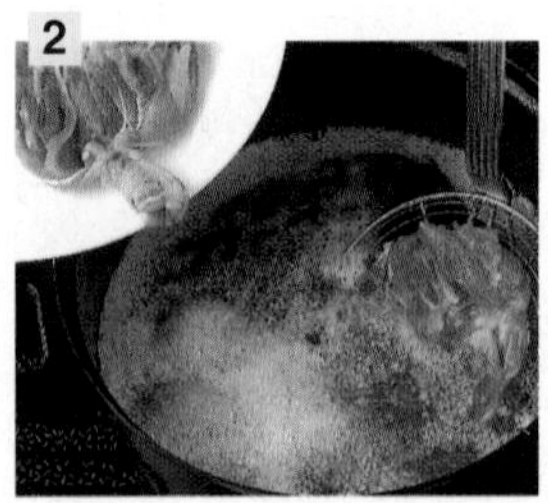

Épluchez et hachez finement le gingembre. Hachez également la ciboulette et la coriandre, au couteau-chef.

# ET AU GINGEMBRE

Cuisson : 15 min.

Enlevez les petits os restants sur les cuisses de poulet. Coupez chaque cuisse en lamelles régulières.

Versez dans une casserole le gingembre, la coriandre, la ciboulette, le sucre, le poivre, le glutamate et le piment de Cayenne. Arrosez de sauce soja et de 4 c. à s. d'eau. Mélangez sur feu doux jusqu'à ce que le sucre soit dissous.

Ajoutez le vinaigre dans la sauce. Mélangez. Versez un fond de sauce dans le plat. Disposez les lamelles de poulet par-dessus, décorez de gingembre haché et de ciboulette. Servez très chaud.

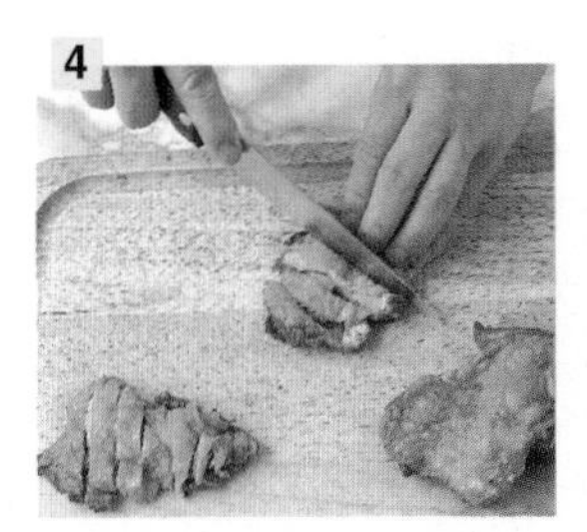

4

5

6

# SOUFFLÉ DE POULET

4 personnes. ★★ Préparation : 30 min.

Émincez krai-chai, citronnelle, curcuma, galanga, échalotes, coriandre et ail. Versez-les dans le bol d'un robot-mixeur. Hachez par "à-coups", successifs afin d'obtenir un mélange concassé.

Ajoutez les blancs de poulet grossièrement découpés dans le hachis précédent. Mixez à nouveau jusqu'à ce que la viande soit complètement incorporée aux condiments.

Versez la pâte de curry rouge dans le mélange. Mixez jusqu'à obtention d'une pâte épaisse. Ajoutez enfin l'œuf, le sucre et la sauce de poisson sans mixer.

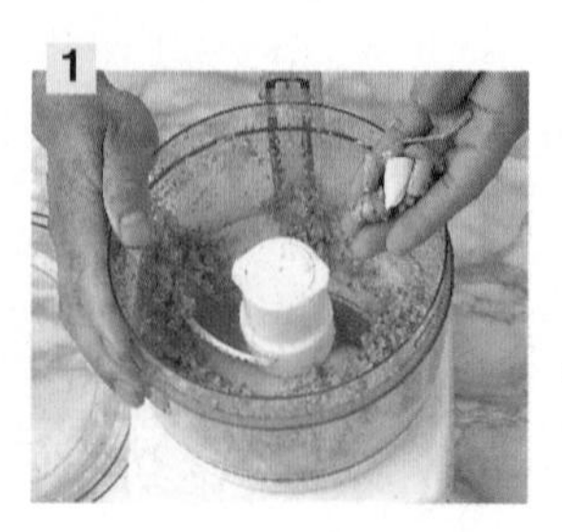



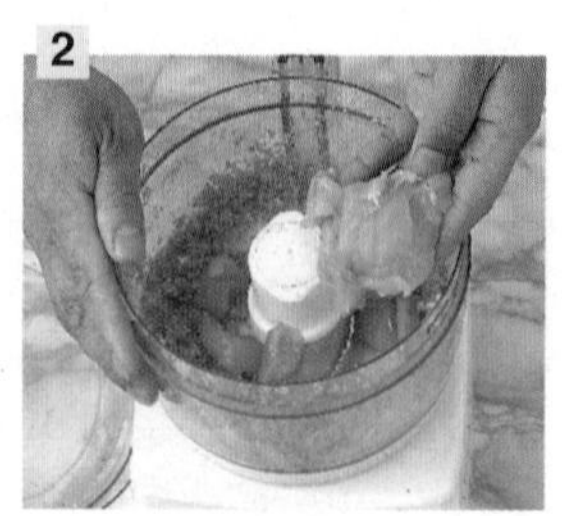

# AU LAIT DE COCO ET ÉPICES

**Cuisson : 5 min.**

250 g de blancs de poulet. 40 g de sucre semoule. 1 œuf. 700 g de lait de coco.
2 feuilles de bergamote fraîches. 25 g de kra-chaï. 1 tige de citronnelle chinoise.
10 g de curcuma frais. 3 g de galanga frais. 2 échalotes.
5 branches de coriandre fraîche. 2 gousses d'ail. 45 g de pâte de curry rouge.
9 cl de sauce de poisson.

*Très répandu, le lait de coco se présente sous deux formes, très liquide ou très crémeuse. Pour le soufflé, vous choisirez plutôt un lait épais. Le lait de coco liquide sert davantage à la préparation des desserts.*

*Les poulets thaïlandais sont facilement repérables dans les épiceries asiatiques. La présentation pré-découpée avantage la préparation culinaire. Bien sûr, le soufflé s'accommodera aussi de blancs de poulet provenant d'une autre origine.*

Disposez le lait de coco dans un bol. Versez-le en 1 fois dans la pâte. Mixez le hachis jusqu'à obtention d'une préparation jaune, homogène et consistante.

Remplissez un récipient rond aux 3/4 avec la préparation au poulet. Parsemez la surface de feuilles de bergamote ciselées.

Remplissez une casserole d'eau jusqu'aux 3/4. Portez à ébullition. Placez le récipient dans la casserole d'eau. Faites cuire 5 min au bain-marie, sur feu moyen. Dès que le soufflé gonfle, retirez-le du feu et servez très chaud.

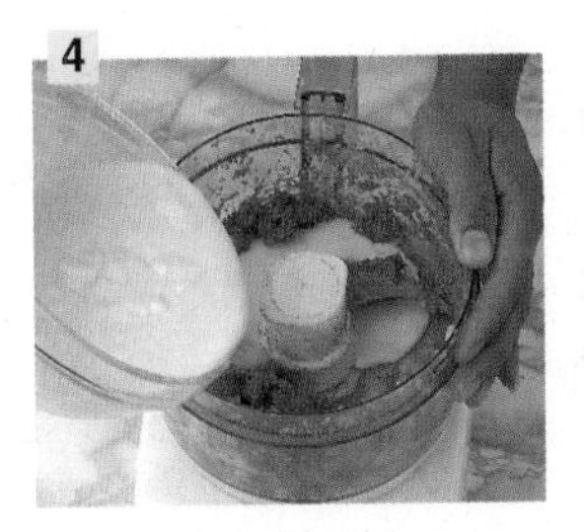


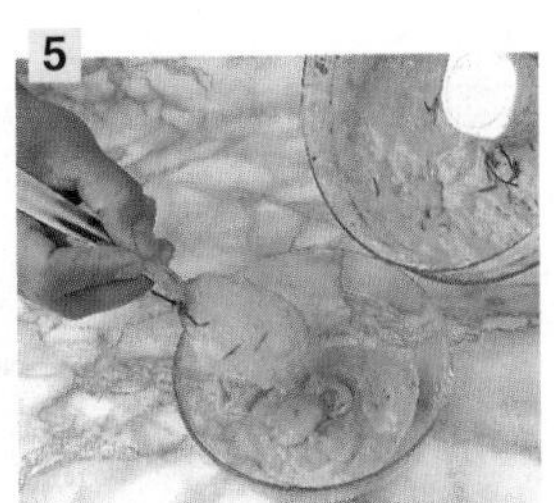

# BEIGNETS DE POMMES

**4 personnes.** ★ **Préparation : 20 min.**

4 pommes Golden. 1 œuf. 150 g de farine. 120 g de sucre.
1 cuillère à café de levure chimique. 1 poignée de graines de sésame blanc.
Huile de friture.

*Notre chef vous propose ici une recette familiale répandue dans toute la Chine. Les beignets de pommes à la fois croustillants et fondants, sont entourés d'une fine pellicule de caramel parsemée de sésame.*

*Notre chef a préparé ici de classiques beignets à la pomme. Il est possible de les déguster avec des noix de coco, des bananes, des kumquats, des arbouses, des litchis, des ananas ou encore des mangues, des papayes et des tranches d'ignames.*

Battez l'œuf en omelette dans un petit bol. Versez la farine et la levure dans une terrine. Ajoutez l'œuf et 10 cl d'eau. Fouettez jusqu'à obtention d'une pâte homogène.

Épluchez les pommes, en formant une longue spirale. Éliminez la base et le haut des pommes, puis coupez-les en quartiers. Enlevez les morceaux de trognon.

Plongez les morceaux de pommes dans la pâte à frire. Laissez-les s'imprégner largement de pâte.

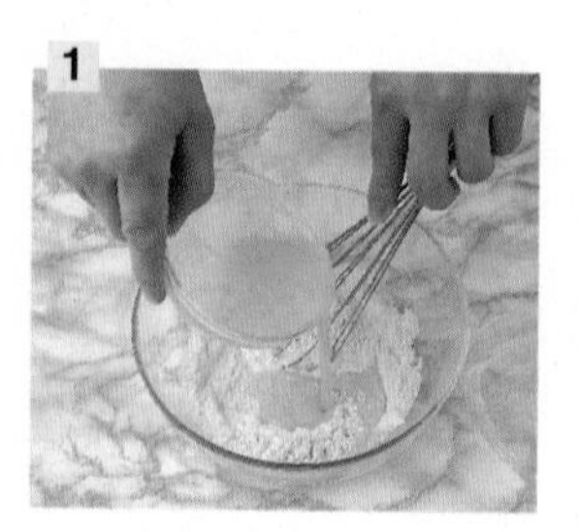

1

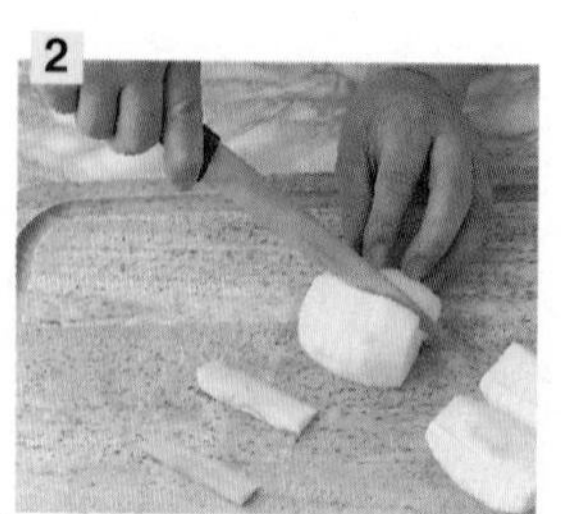

2

3

# CARAMÉLISÉS

Cuisson : 7-8 min.

Faites chauffer une bassine à friture. Plongez les pommes dans l'huile très chaude, et laissez-les frire environ 2 min. Égouttez les beignets.

Dans une poêle, mélangez 120 g de sucre avec 10 cl d'eau. Faites chauffer à feu vif, en remuant constamment jusqu'à ce que le sucre commence à épaissir et à mousser. Ajouter le sésame, et remuez jusqu'à obtention d'un caramel.

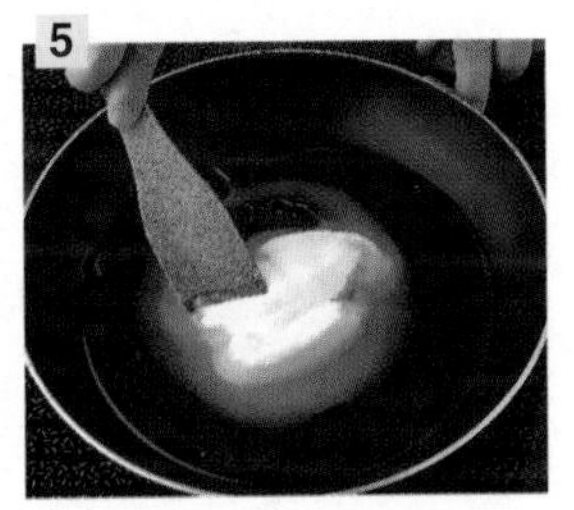


Trempez les beignets dans le caramel au sésame en les enrobant bien. Puis à l'aide de baguettes, plongez-les dans une terrine d'eau remplie de glaçons. Retirez-les de l'eau dès qu'ils ont durci et dégustez de suite.

**4 personnes.** ★ **Préparation : 30 min.**

2 œufs. 4 cuillères à soupe de lait concentré sucré.
100 g de farine. 200 g de pâte de lotus.
Huile de friture.
**Décoration :** Sucre glace.

*Le lotus sert à de multiples usages. Les pétales sont incorporés dans certaines variétés de thé. Les feuilles séchées, quant à elles, font d'excellentes papillotes pour la cuisson de petites gourmandises à la vapeur.*

*Les graines de lotus au léger goût de noisette sont de forme ovale et longues d'environ 1 cm. Elles sont extraites des capsules poussant sous les feuilles. Réduites en une pâte sucrée, elles servent à farcir des crêpes, des petites brioches cuites à la vapeur et d'autres petites friandises.*

Battez les œufs en omelette dans un petit bol. Versez la farine dans une terrine. Ajoutez les œufs et mélangez. Additionnez de 15 cl d'eau froide. Fouettez jusqu'à obtention d'une pâte homogène.

À la cuillère, ajoutez le lait concentré. Fouettez de nouveau vivement. Laissez reposer la pâte entre 10 et 15 min.

Passez la pâte à crêpe à travers un chinois, afin d'éliminer les éventuels grumeaux.

1

2

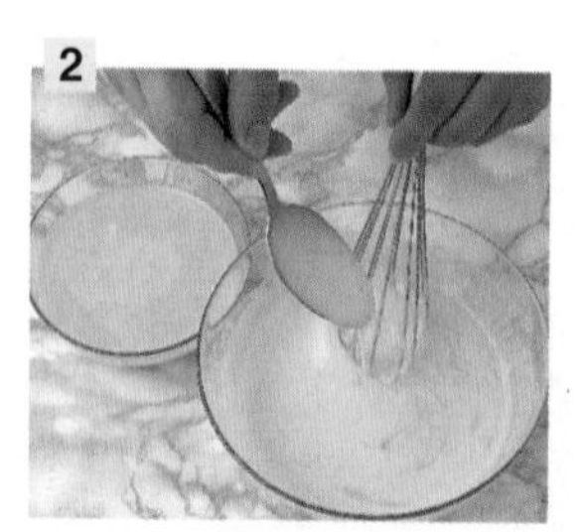

3

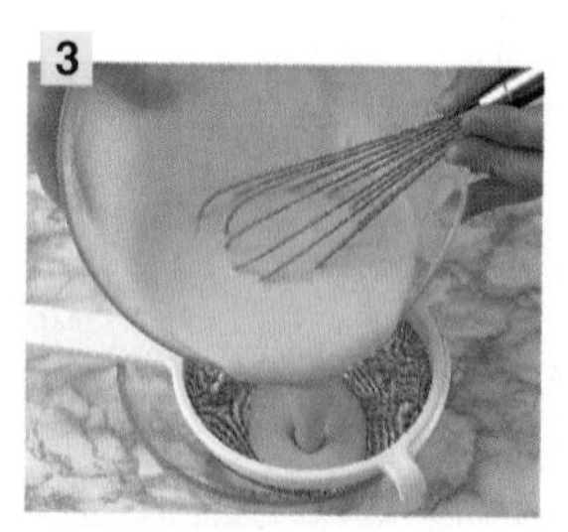

## DE LOTUS

**Cuisson : 4 min par crêpe (environ).** **Repos de la pâte à crêpe : 15 min.**

Remplissez une petite louche aux 3/4. Versez la pâte dans une grande poêle chauffée. Répartissez la pâte dans la poêle en la tournant vivement. Faites cuire les crêpes env. 1 min 30 sur chaque face.

Coupez la pâte de lotus en lamelles. Posez quelques lamelles au centre d'une crêpe. Repliez le bas et les côtés de la crêpe sur la farce. Collez avec un peu de pâte crue.

Faites chauffer une bassine de friture. Posez les crêpes farcies sur une araignée, et plongez-les 1 min dans l'huile chaude, jusqu'à ce qu'elles soient dorées. Égouttez sur papier absorbant. Saupoudrez les crèpes de sucre glace.

4

5

6

# PERLES DE

4 personnes. ★ ★ Préparation : 45 min.

Préparez la pâte d'enrobage : dans une terrine, mélangez la farine de riz gluant et le sucre. Délayez avec 25 cl d'eau jusqu'à ce que vous obteniez une pâte homogène assez liquide.

Portez le bas d'un cuit-vapeur rempli d'eau à ébullition. Lorsqu'il bout, posez la terrine remplie de pâte dans le panier supérieur. Couvrez, et laissez cuire 30 min. Réservez la pâte cuite dans une terrine.

Pour la farce aux œufs, mélangez dans une autre terrine le sucre avec la farine de blé, la poudre à flan et le lait en poudre. Ajoutez les œufs, le lait concentré et le beurre. Versez 6 à 7 cl d'eau.

# COCO

**Cuisson : 1 h 10.**

**Pâte d'enrobage :** 200 g de farine de riz gluant. 100 g de sucre. Noix de coco râpée.
**Farce aux œufs :** 2 œufs. 200 g de beurre. 150 g de sucre. 100 g de lait en poudre. 100 g de poudre à flan. 100 g de farine de blé. 50 g de lait concentré sucré.

*Ces "perles" proposées par notre chef dans leur délicieux enrobage de noix de coco ont largement dépassé les frontières de la Chine, et font les délices des restaurants chinois du monde entier.*

*La pâte d'enrobage assez gélatineuse des "perles" ne varie jamais. En revanche, la farce peut aussi être confectionnée avec de la pâte de lotus, de la pâte d'arachide, de sésame blanc ou noir ou de haricots de soja. Elles sont parfois pochées dans un sirop de sucre.*

Portez de nouveau de l'eau à ébullition dans le panier bas du cuit-vapeur. Disposez la terrine remplie de farce aux œufs dans le panier supérieur. Laissez cuire 30 à 40 min, jusqu'à ce que la farce soit compacte.

4

Coupez la pâte d'enrobage en très gros morceaux. Roulez-les dans la noix de coco râpée de manière à ce qu'ils ne collent pas aux doigts. Coupez en petits tronçons à l'aide d'une corne en plastique.

5

Prenez un petit morceau de pâte et avec le pouce, enfoncez une boulette de farce aux œufs à l'intérieur. Refermez la boule et formez de même les autres boules. Roulez-les bien dans la noix de coco râpée.

6

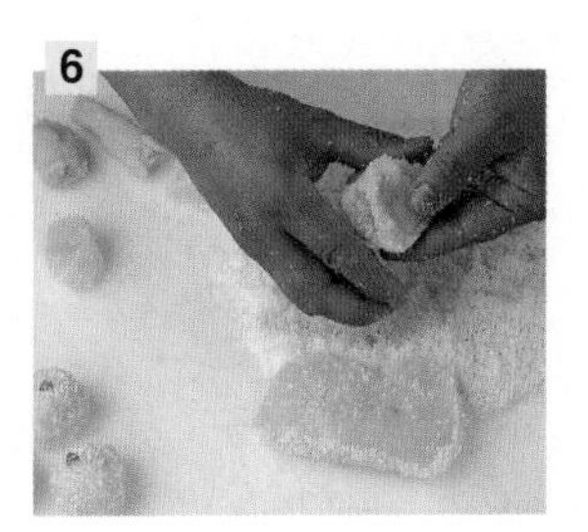

# PETITS CHOUX CHINOIS

**4 personnes.** ★ **Préparation : 30 min.**

200 g de farine de blé. 120 g de sucre. 1 œuf. 10 g de levure chimique.
300 g de graines de sésame blanc. 10 cl d'huile d'arachide.
Huile de friture.

*Les Chinois font entrer le sésame dans leurs petits plats depuis au moins 2 000 ans. La Chine et l'Inde sont les deux principaux pays producteurs de cette plante oléagineuse, source de délices gastronomiques tout autour du monde.*

*Les petits choux au sésame font les délices du Nouvel an chinois. Parents et voisins viennent partager ravioli à la vapeur, gâteaux de riz, rouleaux de printemps, galettes du Nouvel an et autres petits choux.*

Versez la farine sur un plan de travail et formez un puits. Cassez l'œuf à l'intérieur. Ajoutez le sucre et la levure. Incorporez peu à peu 5 cl d'eau, en remuant délicatement. Pétrissez comme une pâte à tarte.

1

Aplatissez un peu la pâte et formez un léger "cratère" au centre. Versez peu à peu l'huile. À l'aide d'une corne en plastique, pétrissez la pâte en la ramenant à plusieurs reprises vers le centre, jusqu'à ce que l'huile soit incorporée.

2

Coupez la pâte en plusieurs morceaux assez gros. Roulez-les jusqu'à l'obtention de longs boudins.

3

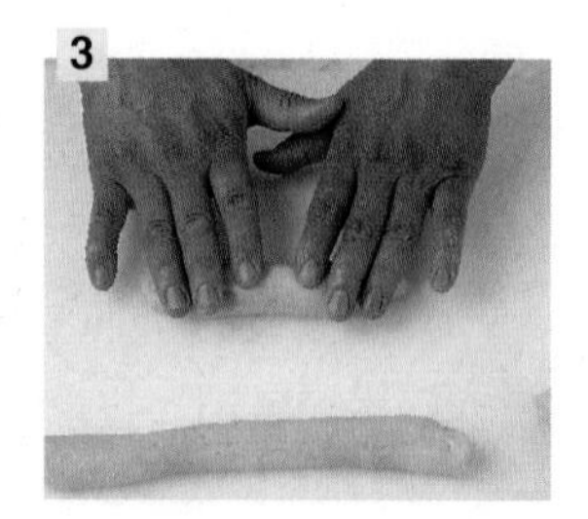

# AUX GRAINES DE SÉSAME

**Cuisson : 2-3 min par fournée.**

Coupez tous les boudins de pâte en petits tronçons, avec votre corne en plastique.

Remplissez un bol avec des graines de sésame. Posez quelques boules de pâte dans le sésame, enrobez-les de graines, et roulez-les à l'intérieur de votre main.

Chauffez une bassine à friture. Lorsqu'elle est brûlante, plongez les boules au sésame. Laissez dorer quelques minutes le temps d'obtenir des petits choux dorés. Servez tiède.

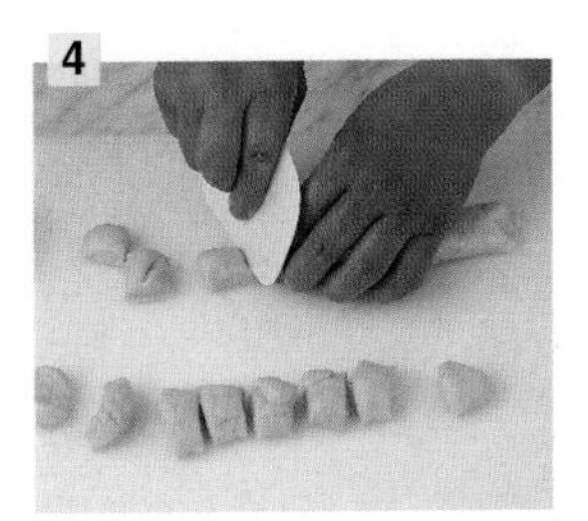

# SOUPE DE LITCHIS

**4 personnes.** ★ **Préparation : 20 min.**

1 boîte de dattes séchées. 80 g de longanes séchés.
50 g de champignons blancs séchés. 80 g de tapioca (facultatif).
3 ou 4 cm de gingembre frais.
200 g de sucre. 550 g de gelée d'herbe. 250 g de litchis en conserve.
250 g de longanes en conserve.

*Après avoir réhydraté les champignons, prenez soin d'éliminer leur pied un peu dur.*

*Dans cette recette, la gelée d'herbes apporte son caractère à la soupe de litchis et longanes.*

Faites tremper dans l'eau froide les dattes 1 h, et les longanes séchés et champignons blancs 10 min. Faites cuire le tapioca 10 min dans 1 l d'eau, égouttez-le et réfrigérez.

Versez de l'eau dans une grande casserole avec des lamelles de gingembre. Portez à ébullition. Ajoutez le sucre et faites cuire 5 min à feu vif jusqu'à obtention d'un sirop limpide.

Additionnez le sirop de morceaux de champignons et de longanes séchés. Portez de nouveau à ébullition. Laissez cuire 10 min après l'ébullition. Faites réfrigérer.

## ET LONGANES

**Cuisson : 25 min.** **Réhydratation : 1 h.**

Sortez la gelée d'herbes de la boîte. Coupez-la d'abord en tranches, puis détaillez-la en petits cubes.

Ajoutez les longanes puis les litchis en conserve, dans la terrine contenant les champignons et les longanes séchés au sirop.

Ajoutez enfin dans le sirop les petits cubes de gelée d'herbe. Servez les fruits du sirop dans des petits bols, accompagnés de tapioca.

4

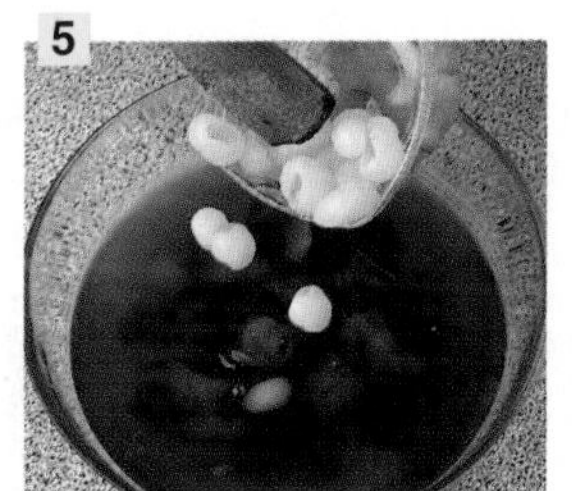
5

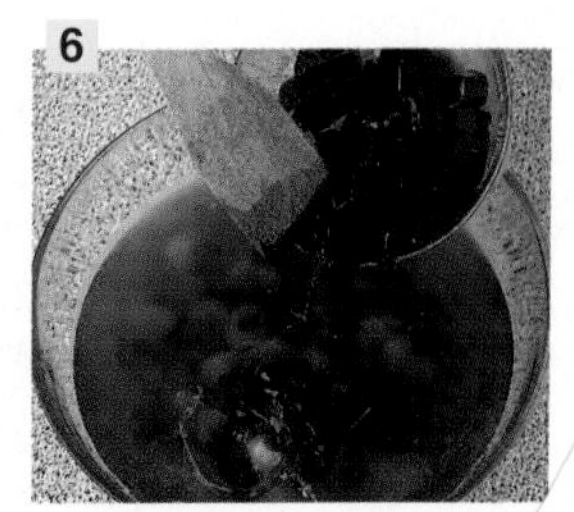
6

Achevé d'imprimer en Espagne.
Dépôt légal : Septembre 2003
I S B N : 2-84690-111-2